Chigüiro

y el baño

BABEL

Da Coll, Ivar

868CO   Chigüiro y el baño ; Ilustrado por
         Ivar Da Coll. --Bogotá D.C. :
         Babel Libros, c2005.
         32 p. : il.

         ISBN 978-958-97602-2-2

         1.CUENTOS 2.LITERATURA INFANTIL COLOMBIANA
         I.tit. II.Da Coll, Ivar

© Ivar Da Coll, 1985
© Babel Libros, 2005

Primera edición Norma, 1985

ISBN 978-958-97602-2-2

Edición: Babel Libros
Calle 39 A 20-55, La Soledad
Bogotá D.C. Colombia
Pbx 2458495
babellibros@cable.net.co
www.babellibros.com.co

Edición: María Osorio

Escáner Al Digital
Impreso en Colombia por D'Vinni S.A.
Bogotá, junio de 2011

Visita la página de Ivar: www.ivardacoll.com

Chigüiro
y el baño

Historia e ilustraciones
Ivar Da Coll

BABEL LIBROS

Chigüiro...

EN ALGUNAS REGIONES de Panamá, Brasil y Argentina, pero principalmente en Colombia y Venezuela, en la zona de los llanos, vive este simpático animal que también recibe el nombre de chigüire, ponche, tinajo, lancho, yulo, carpincho o capybara que quiere decir "maestro de los pastos" en lenguaje guaraní. Es un mamífero, y el roedor más grande que existe.

Camina en cuatro patas y a veces se sienta sobre sus patas traseras para limpiarse la cara con las extremidades delanteras y tomar su alimento.

Vive en manada, siempre está cerca del agua, en bosques húmedos a lo largo de ríos, lagunas y pantanos que se forman cuando ha llovido. Busca estar al descubierto para sentir cerca el cielo abierto.

Su pelo es de color habano amarillento o canela totalmente uniforme, aunque también hay chigüiros negros. La cabeza es grande, rectangular, el hocico es cuadrado, tiene fuertes y afilados dientes, las orejas son pequeñas así como los ojos que por lo general son de color amarillo o rojo. La cola no es visible. En las patas delanteras tiene cuatro dedos y en las traseras tiene tres, y tiene una membrana entre todos los dedos que le permite nadar muy bien. Los jóvenes son similares a los adultos pero con mucho más pelo.

El chigüiro es un animalito bastante nervioso, completamente inofensivo. Cuando se asusta se zambulle en el agua y nada bajo la superficie para escapar.

Está en peligro de extinción en varias regiones, por la caza para el consumo de su carne, la cual es muy apetecida, y por la destrucción de su hábitat.

Cuando el chigüiro está tranquilo, en un lugar donde se siente a gusto, hace todas sus tareas con gran lentitud, aunque la mayor parte del tiempo prefiere reposar. Le gusta comer algas, que encuentra en el fondo de las charcas, o pastos y yerbas de la superficie. Aunque un pedazo de yuca o de banano le producen mucho placer.

Ivar Da Coll...............

Nació en Bogotá, Colombia, en 1962. Desde hace más de 20 años se dedica a escribir e ilustrar para niños. A los doce años se vinculó a un grupo de teatro de títeres en el cual interpretó diversos personajes; de allí surgió su gusto por los libros infantiles, los cuales le parecen muy similares al teatro de muñecos. En 1983 comenzó a trabajar con distintas editoriales como ilustrador de libros de texto. En 1985 nace la serie de libros de imágenes *Chigüiro*, con la cual hizo su incursión definitiva en la creación de historias dedicadas a los niños.

Ha representado a Colombia en tres ocasiones como autor en la Lista de Honor de IBBY con sus libros *Tengo miedo*, *Hamamelis*, *Miosotis y el señor Sorpresa* y *Pies para la princesa*. También, elegido por la sección colombiana de IBBY, fue candidato al Premio Hans Christian Andersen 2000. Varios de sus libros han sido publicados por importantes casas editoriales de Venezuela, México, España y Estados Unidos.

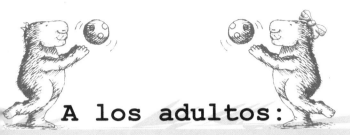

A los adultos:

Es conveniente que los niños tengan la oportunidad de estar en contacto con el libro y la lectura aún antes de que sepan leer y escribir.

Los libros de imágenes desempeñan un papel fundamental en la relación que los niños establecen con la lectura desde la más temprana edad, pues se dirigen directamente a su sensibilidad y marcan profundamente su futura vida afectiva e intelectual.

Contar una historia no es un privilegio del lenguaje oral o escrito. Las imágenes también tienen su manera de hablar, y narran historias que el niño está en capacidad de descifrar.

En la colección *Chigüiro*, el personaje principal vive una serie de situaciones que combinan el humor, la ternura, la solidaridad y la amistad. Los niños compartirán con Chigüiro estos sentimientos, y aprenderán a amar y a identificarse con un personaje latinoamericano que en este caso los representa.

Así mismo, a partir de las historias que aquí se narran, los pequeños podrán interpretar y recrear las suyas, desarrollando de esta manera su creatividad e imaginación.

Silvia Castrillón

2 0 1 1